Emily®
the Strange

ROCK, MUERTE, FALSEDAD, VENGANZA Y SOLEDAD

Volumen #2

Emily®
the Strange

Creada por Rob Reger

Ilustraciones de Buzz Parker
Ryan Hill
Derek Fridolfs
Nicomi 'Nix' Turner

Guión de Rob Reger
Jessica Gruner
Kitty Remington
Buzz Parker
Nicomi 'Nix' Turner
Brian Brooks

Artistas flipados Winston Smith
Tim Biskup
Jason Mecier
Turo 'Scissorhands'
Fawn Gehweiler

Editora Shawna Gore
Director editorial Mike Richardson

Dedicado a todos los de My Strange Cat

www.emilystrange.com
www.NormaEditorial.com
www.NormaEditorial.com/blog

NEECHEE

COSMIC*DEBRIS*

NORMA Editorial

DARK HORSE BOOKS

EMILY THE STRANGE: ESTOS SON MIS PROBLEMAS (Col. Made in Hell nº104). Julio de 2010. Publicación de NORMA Editorial S.A. Pg. St. Joan 7, Pral. 08010 Barcelona. Tel.: 93 303 68 20 — Fax: 93 303 68 31. E-mail: norma@normaeditorial.com. © Cosmic Debris Etc., Inc.

Traducción: Raúl Sastre. Realización técnica: Martin Garcés. ISBN: 978-84-679-0185-6. Printed in China.

Consulta los puntos de venta de nuestras publicaciones en www.normaeditorial.com/librerías
Servicio de venta por correo: Tel. 902 120 144, correo@normaeditorial.com, www.normaeditorial.com/correo

ÍNDICE DE ABERRACIONES

Capítulo 1 ROCK

4 ...Portada del número del rock
5 ... A rocanrolear
6 ... El instituto del Rock'n'Roll
12 ....Vende tu alma
  por el Rock'n'Roll
17 ....Los fantasmas vienen a cenar
24 ... Gatitos del rock
26 ... El rock de Emily
28 ...Una nueva entrevista de Strange
  a Karen O de los Yeah Yeah Yeahs
35 .... Sopa cañera
38 ....Los 13 rumores favoritos
  del mundo del rock de Emily
40 ...Artista flipado:
  WINSTON SMITH
42 ... Más bajo no se puede caer
45 ...Rock Garden Greenhouse
46 ...El teatro del espanto:
  Ricitos de Rock
52 ..La última cena de Winston

SOLEDAD

Capítulo 5

130 ...Portada del número de soledad
131 ...El rescate
132 ....Gata solitaria y minina
135 ...Estrella solitaria
139 ...La extrañera solitaria
142 ....El minino muerto capítulo cuatro:
  ¡SOLA AL FÍN!
150 ....Artista flipado:
  FAWN GEHWEILER

Capítulo 2 MUERTE

54 ...Portada del número de la muerte
55 ...¡Adéntrate en este número mortal!
56 ... Nueve muertes
58 ....La vida de la muerte
62 ...De la cuna la tumba
64 ... El minino muerto
  capítulo 1
72 ...Las 13 maneras favoritas
  de morir de Emily
76 ...Artista flipado:
  TIM BISKUP

Capítulo 3 FALSEDAD

78 ... Portada del número de la falsedad
79 ....¡Bienvenido, esta es nuestra
  nueva imagen!
81 ...Identidad falsa
84 ....¡Los 13 mayores engaños o fraudes
  de la historia según Emily!
87 ....El minino muerto capítulo dos:
  ¡LA TRAMPA!
95 .... Falsedad total
98 ...Artista flipado:
  JASON MECIER
101 ...Dinero falso

Capítulo 4 VENGANZA

106 ....Portada del número de la venganza
107 .... Los 13 métodos principales
  de venganza de Emily
108 ... Entrevista de Strange a
  GERARD WAY
110 ...La venganza del Ojo Muerto
117 ...El minino muerto capítulo tres:
  ¡VENGANZA!
125 ...Dobla a Emily
126 ... Esquema de una venganza
128 ....Artista flipado:
  TURO "SCISSORHANDS"

MILES

JYSTERY

SABBATH

El número del Rock

...níamos que perfeccionar nuestros logotipos...

HEAVY METAL

GÓTICO/TERROR   LÍQUIDO

PUNK ROCK

¡Vale, chatos, orden en la sala!

Veamos cómo van esos logotipos.

...y preparar el examen final de mates.

Segunda clase: MATES con el Dr. Ramone.

Bonita cuchilla, Em.

12-3-4

Estas son todas las matemáticas que necesitáis saber... ¡...UnDosTresCuatro!

El Sr. Zappa afirma que el compás de 7 por 16 eleva la tensión latente en un tercio a lo largo de la canción...

1234

Como he dicho, ¡UnDosTresCuatro! ¡UNDOSTRESCUATRO!

Por fin llegó ¡la GRAN NOCHE!

¡Un aplauso para Escozor en el Culo
y su "Me pica el trasero"!

A continuación, Wendy y los Raronos con
su nueva canción: "¡Bragas de metal, corazón gélido!"

¡Somos los
siguientes!

¡Ahora le toca a una banda
distinta a todas las que hayáis visto u oído

¡Son extraños!
¡Y salvajes! Son...

¡EMILY Y LOS TRECE MÁSTILES DEL DESTINO!

¡La gente se vuelve LOCA!

¡Ooooh, nooo!
¡Todos quieren improvisar con todos!

¡Siempre pasa lo mismo cuando juntas a muchos roqueros en el mismo lugar!

Será mejor que este supergrupo sea...

¡DESENCHUFADO!

ELECTRICIDAD

Gatitos del ⚡rock

punk

ROCK LETAL

rock en viv[o]

viejunos (pero unos clásico[s]

SURF ROCK

rock porrer[o]

rock glamouroso

emo

HIP HOP

folk

rock

gafapasta

rockabilly

gótico

ALTERNATIVO

heavy metal

rock adocenado

EL ROCK DE EMILY

Maullidos psicodélicos
"El fantasma que hay en ti"

Juventud Extraña
"paranormal"

Emily Strange
"Aún más dulce y extraña"

Emily Strange
"Volumen 13"

Las Emilys
"La máquina perdida"

Emily the Strange
"Zarpas de Nueva York"

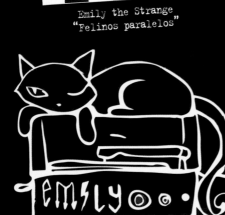

Emily the Strange
"Felinos paralelos"

The Emilys
"Extraños pero no muertos"

Emily the Strange
"música extraña para
gente extraña"

Emily Strange
"Extraña locura"

Amenaza grave
"Días extraños"

Emily the Strange
"Chicas extrañas"

The Emilys
"The Emilys"

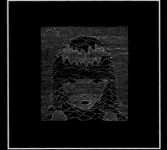

Emily the Strange
"El extraño desconocido"

Emily the Strange
"Piérdete" EP

Emily
"Extraña eléctrica"

La banda de Emily Strange
"¿No somos extraños?"
"¡Lo somos!"

Emily Strange
"La casa del terror.
1993-2007"

The Emilys
"Lo extraño pero
no lo olvido"

Los Condenados
presentan a Emily the Strange
"Rompe con todo"

Chapas extrañas para gente extraña

DESCONECTANDO.

Gatitos de ciudad roqueros
"En 45"

¡CALLAOS!

¡Y rellenad los formularios!

¡Emily!

Autoescuela

1. ¿Qué quieres aprender en estas clases?

Me gustaría aprender el código de circulación que rige los viajes espaciales. En primer lugar, ¿una nave siempre debe ceder el paso a todas las naves espaciales, o solo a las pilotadas por wookies?

En segundo lugar, ¿por qué ya no fabrican los zumos Tang?

chewie!

♡ CoCo

Maestro

solo sé lo que sé

Autoescuela

1. ¿Qué quieres aprender en estas clases?

Sólo quiero saber qué he de hacer si un tornado de clase cinco viene hacia mí. ¿Me meto bajo un paso elevado o me arriesgo a acabar en la cuneta?

IR AL BAÑO

LOS 13 RUMORES FAVORITOS

1. Pete Townshend ostenta el récord de mástiles rotos: 515

2. Jimi Hendrix besó una vez a un hombre.

3. Jack y Meg White son siameses y nunca los han separado.

4. Blondie fue arrestada por comer guitarras de chocolate en un coche de gominola en Marte.

5. La abuela materna de Siouxsie Sioux era prima segunda del tataratatarabuelo paterno de Sabbath de los Bosques.

6. En el funeral de Bon Sott se tocó "Highway to Hell".

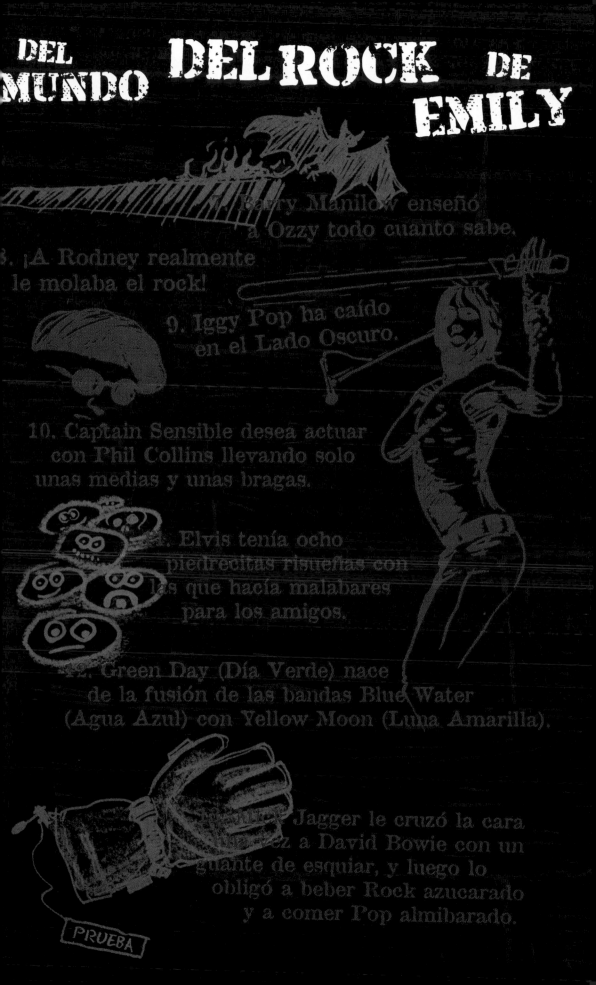

DEL MUNDO DEL ROCK DE EMILY

7. Barry Manilow enseñó a Ozzy todo cuanto sabe.

8. ¡A Rodney realmente le molaba el rock!

9. Iggy Pop ha caído en el Lado Oscuro.

10. Captain Sensible desea actuar con Phil Collins llevando solo unas medias y unas bragas.

11. Elvis tenía ocho piedrecitas risueñas con las que hacía malabares para los amigos.

12. Green Day (Día Verde) nace de la fusión de las bandas Blue Water (Agua Azul) con Yellow Moon (Luna Amarilla).

13. Mick Jagger le cruzó la cara una vez a David Bowie con un guante de esquiar, y luego lo obligó a beber Rock azucarado y a comer Pop almibarado.

PRUEBA

¡Me rajo en la fruta!
¡Vaya día! He perdido la cartera, casi me atropellan unas siete veces, me he puesto morena, se me ha roto mi mejor tirachinas...
...no tenían tinta de calamar, un gordo me pisó los pies...
...y me han multado otra vez por cruzar la calle sin mirar. ¡Qué asco de vida! ¡Odio a la humanidad!
FRANK ZAPPA
¡Ahora necesito el poder sanador del rock!
¡Dale caña, Sabbath!
!?x!
Oops, I did it again!
I played with your heart!
Nooooooo...
Pierdo el control de mi cuerpo...
...Más bajo no se...
PUEDE CAER

El invernadero del Rock de Emily

La Muerte se Convierte en Ella

Adéntrate en este número MORTAL...
¡Donde tus sueños necrológicos se harán realidad!
Dale vida a esos miembros cadavéricos y ven
conmigo a pasear... este viaje a la muerte...

¡...acaba de comenzar!

¡NUEVE MUERTES

1 MILES
SOBREDOSIS DE NÉBEDA

¿Qué es una sobredosis? ¿Esnifahogarse?

Una muerte mortal.

2 MYSTERY
¿SIESTA...
...O
SUEÑO ETERNO?

Tío, eso se hace con un murciélago.

EN RUINAS

Hmmmmm...

3 SABBATH
DECAPITADO A MORDISCOS EN UN CONCIERTO DE ROCK

4 HEECHEE
ENTRÓ EN LA CASA EQUIVOCADA.

Vestida de
negro nació.

La pesadilla
de Emily que
ahí duerme
tranquilament[e]

Vestida de
negro menguó.

Mientras Emily
y sus gatos
la dejaban a sola[s]
sigilosamente.

El negro
se desvaneció
al envejecer
cada noche
tan fugaz
y rápidamente.

Y en la oscuridad
se adentró,
ya que la luz solo
nos ilumina
de la cuna
a la tumba
brevemente.

EL MININO MUERTO

CAPÍTULO 1

Mientras en la superficie Emily cuidaba el jardín, unas cosas muertas muy hermosas se hallaban criando malvas bajo tierra.

EL CAMPOSANTO

Hale... Ya está enterrado.

ES GUAPA DE MORIRSE.

Mientras, al otro lado de la calle...

Venid aquí, Snowy... Bitsy...

Venid con mamá...

No, Fluffy, no juegues en la carretera...

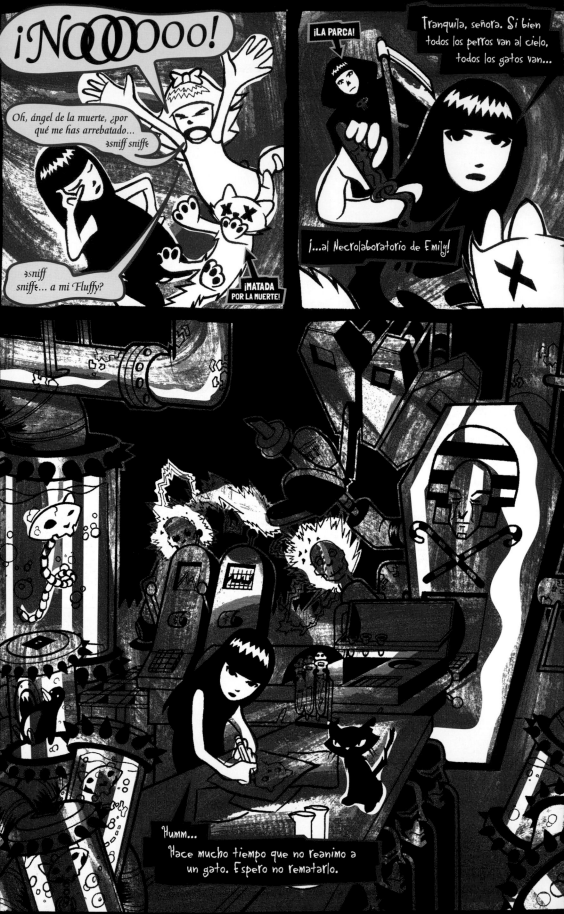

LAS 13 favoritas de MORIR de Emily

Por combustión **espontánea** mientras TOCA LA BATERÍA

Muy limpio...
...y ni se nota...

Por sablazo LÁSER

¡De esta NO salgo!

POR Inmersión EN ÁCIDO

¡...y después vi ÁNGELES!

sobredosis DE brebaje

Salvad a la más bonita...

¡Sí, está muerta!

Ser la siamesa que SOBREVIVIÓ a la

¡Carguen! ¡Apunten! ¡Disparen!

PORQUE TODO SALIÓ mal AL HACER de mujer bala

No puedo... Dejar... De... Bailar...

POR INANICIÓN en una maratón de baile.

¡Recicla!

PORQUE se DESANGRÓ hasta (tras cortarse con un FOLIO)

¡Tengo zapatos nuevos!

Por nadar con los pececillos

¡Vamos, chicos, es aquí dentrooooo!
Por empalamiento
Hola.
Porque la mirada de una medusa la petrificó
Necesito más puntos, he de lograr más puntos...
Porque el comecocos la devoró
¡Ya no saben dónde caerse muertos!
Porque Godzilla la pisó

Estado de CONFUSIÓN
MARTE, EE. UU.
13-ESP923 1111
Nombre:
EMIL S. TRAN
Fecha de nacimiento: **13/13/65** Edad: **43**

Dirección: **2912 calle del ojo**
Ciudad: **Villa Falsa**
Estado: **Confusa**
OJOS: **MUERTOS** PELO: **QUEMADO** SEXO: **FELINO**

X _Emil_

Expira:
13/13/80

SI LEES LA LETRA PEQUEÑA, TE METERÁS EN UN BUEN LÍO

VÁLIDO
CLASS: NONE

Sé todo lo que no puedes ser

IDENTIDAD FALSA

Yellow Moon Hot Banana

SHOW NOCTURNO

10pm

MUESTRE SU DNI

¡LOS 13 MAYORES ENGAÑOS O FRAUDES

LA LLEGADA A LA LUNA

(Un timo de Hollywood)

LA SANGRE DE MENTIRA

(¡La sangre de mentira no existe!)

¡¡Muaa ja ja ja!!

LAS PIRÁMIDES EGIPCIAS

(En realidad las construyó el Dios del Metal)

EL HOMBRE DE LAS 1.000 CARAS

(¡Si no lo veo, no lo creo!)

¡LA HISTORIA SEGÚN EMILY!

¡LOS ALIENÍGENAS (NO) EXISTEN!

(El Área 51 es, en realidad, el Área 13)

¡Gente de plastilina del espacio exterior!

EL DERECHAZO QUE TE LANZÓ EMILY...

(¡...antes de sacudirte un gancho de izquierda!)

¡EMILY ES, EN REALIDAD, R2D2!

¡Biip biip uirrrrl tuut!

LOS PECHOS DE PAMELA ANDERSON

¡Pechos fuera!

LA TIERRA ES PLANA

(Aunque hay que andar bastante...)

EL BEICON ES MENTIRA

(¡Es todo mentira! Nadi
se atrevería a hacer
daño a esos cerditos

¡LOS SECRETOS DE HOUDINI AL DESCUBIERTO!

(Las cadenas y cuerdas
eran macarrones)

ESTO NO ES UN CÓMIC DE VERDAD

(¡Es solo un holograma!)

EMILY ES UNA GATA EN REALIDAD

(¿Acaso era eso un misterio?)

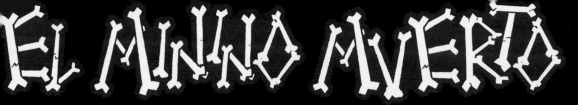

EL MININO MUERTO

CAPÍTULO DOS

¡LA TRAMPA!

Fluffy ha vuelto de entre los muertos,

pero ¡aún tenemos que vengarnos del capullo que la mató!

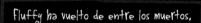

Este es el plan.

Debemos tenderle una trampa... y necesitamos un CEBO.

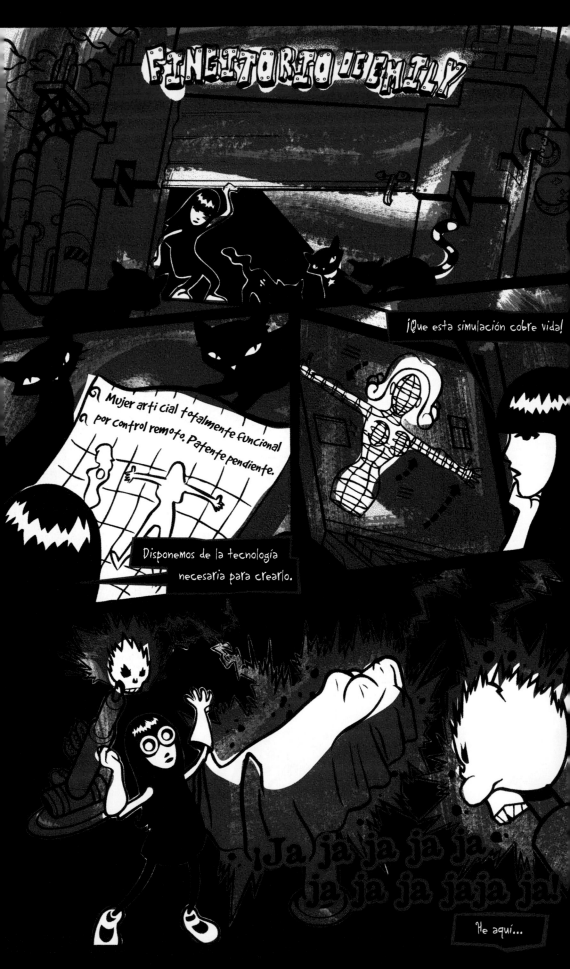

Todo despejado según la cámara de Oropel.

Ese asesino de felinos debería pasar por ahí con su coche... ¡YA!

¡ALTO!

¡SOCO-RRO!

GRACIAS POR DETENERSE. ¡SE ME HA ESTROPEADO EL COCHE! ¿ME COMPRA UN GENUINO CIRCONIO DE PEGA?

¡CLARO, SUBE!

¿ADÓNDE VAMOS, NENA?

¡A UN SEMINARIO SOBRE "CÓMO HACERSE RICO CON INMUEBLES SIN INVERTIR NI UN EURO"!

SOLO TIENE QUE INGRESAR UN ADELANTO DE 500.000 DÓLARES EN MI CUENTA DE SUIZA. LUEGO FIRMAR UNA ORDEN DE COMPRA DE ORO INTERNACIONAL POR LA MITAD DE ESOS 66 MILLONES QUE LE CORRESPONDE; ADEMÁS, SI TIENE OTROS 500.000 MÁS PUEDO TRIPLICAR ESA CIFRA, YA QUE TENGO UN AMIGO QUE ME DEBE 1.000.000 EN ACCIONES. ASIMISMO, TENGO UN PUENTE QUE QUIZÁ LE INTERESARÁ COMPRAR. .

¿DÓNDE HAY QUE FIRMAR?

¡CHOQUE ESOS CINCO!

¡Ha mordido el anzuelo!

¡Ven con mamá!

¡JAJAA JAJA JA!

¿QUÉ...?

OK, NO ES NADA.

USTED FIRME AQUÍ PARA UNIRSE A NUESTRO MULTIFACÉTICO PLAN DE MARKETING.

Falsedad total

protagonizado por Emily y el Bigfoot

Eh. ¿qué hacen esos tíos?

Chtt. No lo sé. Descubrámoslo.

Casi los tengo...

Pues sí, muchachos.

Menos mal que tenemos armas suficientes como para acabar con un ejército de Bigfoots.

Han detectado su rastro en esta zona. Podría tratarse de una familia de esos bichos.

¡Zoooom!...

Si quieren un ejército de Bigfoots, lo tendrán. ¡Vamos!

¡Deprisa! Alguien viene.

¡El Rastrómetro se ha vuelto loco!
Deben de estar ahí...

Harooooooooo.

Harooo.

¡oo...!

¡¡¡Aaaiiiieeeee!!

RRRrrr...
¡¡RRRrraaUUU!!
¡Je je je je!
¡Ha funcionado, chicos!
Aaauuuu
Recojamos y volvamos a vuestro refugio del bosque. Antes he visto unas moras por ahí que estaban pidiendo ser devoradas a gritos.
¡ Estos disfraces de Halloween han sido muy útiles!
¡Jar Jar Rrrrrau!
Tienes razón. Con las moras del bosque se HACE una mermelada deliciosa...

AÚN MÁS EXTRAÑA
DE NOCHE

Emily®
the Strange

¡DINERO FALSO!

cortar por aquí ✂

NADA · ¡¡UN MONTÓN DE NADA!! · **NULO**

0 0

Emily the Strange

CERO · **PATATERO**

cortar por aquí ✂

DESMELÉNATE Y FLIPA

1

¡PUES CLARO QUE ESTE DINERO ES FALSO!

E06S01P42

UNO

1

Emily Strange · *Sabbath*

UN MÍSERO DÓLAR

opina falsa para esa estilista "modernilla" que te ha cortado el pelo de pena!

DINERO MISTERIOSO

? ? ? ? ? ? ? ? ? ? ? ? ? ? ?

DEL BANCO DE EMILY STRANGE

¡Pague el Atún Sorpresa del almuerzo con este billete!

cortar por aquí ✂

¡No más sangre para obtener petróleo! ¡Ni más dinero de verdad!

cortar por aquí ✂

¡Úsalo para comprarle un collar de piedras preciosas falsas a tu gatito disecado!

¡Cómprate esos dientes postizos de oro que siempre quisiste tener!

cortar por aquí

EMILY the STRANGE

cortar por aquí

EN STRANGE CONFIAMOS

VALE MUCHO
MÁS DE LO QUE
PUEDES IMAGINAR

QUEMANDO DINERO

Los 13 métodos principales de VENGANZA de Emily

1 Meter bichos que piquen en los zapatos

2 Si el gato se porta mal, cambiarle la comida especial para gatos por copos de cereal

3 Meter la mano de la víctima en agua templada cuando duerme (un método PIStonudo)

4 Meter un plátano en el tubo de escape del coche (salvo si son 4x4 de esos que echan a los ciclistas de la carretera)

5 Cambiar los terrones de azúcar del azucarero por cubitos de sal

6 ¡Firmar cheques falsos a nombre de la persona de la que te quieres vengar!

7 Cambiar las teclas del teclado del ordenador de mamá de posición

8 MƎTƎR CACAS DƎ PƎGA DƎ GATO ƎN LOS CƎRƎALƎS

9 METER LA ROPA INTERIOR EN EL CONGELADOR

10 Colocar pegatinas con el lema "COMO MIERDA" en todos los coches del aparcamiento del súper.

11 Inventarse estupideces sobre Rob Reger y enviar esas noticias idiotas a diario a la prensa del corazón.

12 Desarrolla un esquema para VENGARTE.
¡Pssst! Mira las últimas páginas de este número....

13 Reparte entradas falsas para ese megataquillazo mundial titulado: "Los perros son el mejor animal del planeta"

Entrevista de Strange a Gerard Way

...en donde Emily y Gerard se abren paso
a través de las curiorííicas oficinas de Dark Horse Comics...

Lo sé, lo sé. Ojalá hubiera alguien interesante esperándonos tras esas puertas y no una editora de muy mal humor.

Deprisa. Emily. Que vamos a entregar tarde ese guión.

Y no quiero que esa señora nos vuelva a gritar.

Saludos, intrusa...

Sométase al escaneo de retina de seguridad...

...o será detenida inmediatamente.

¡Eh, Gerard! ¿Qué haces aquí?

Quizá necesite un poco de café para acabar este guión. O quizá baste con dar una vuelta contigo.

¿Por qué llevas paraguas?

Busco pistas.

Se ha producido un robo y, por lo visto, el sospechoso suele rondar las fotocopiadoras un tanto extrañas.

Mira, está muy extendido el concepto erróneo de que llueve mucho en la costa noroeste del Pacífico, cuando, de hecho, el año pasado solo tuvimos unas precipitaciones totales de 43,03, lo cual es normal.

¡Oh! ¡En ello estoy! ¡En ello estoy!

Esto... en realidad... ...me estoy bebiendo todo el café...

Así que lo llevo porque mola.

EL MININO MUERTO

CAPÍTULO TRES — ¡VENGANZA!

Sala de tretas, tácticas y estratagemas de Emily

¡¡¡NO ENTRAR!!!

¡Emily jamás se había esforzado ni había esperado tanto para cobrarse venganza!

Atropelló a Fluffy, destruyó a mi mujer robot manejada por control remoto...

...Y lleva las gorras con la visera hacia atrás.

¡¡¡LA VENGANZA SERÁ MÍA!!!

1 El hilo se rompe, y cae el cubo.

2 El balancín lanza la bola al aire.

3 ¡La bola de bolos vuela!

4 La bola rompe el vaso de cristal, el agua se derrama.

5 Un transeúnte resbala y da una patada a la palanca.

6 La palanca libera la red, y...

7 ¡El asesino de gatos queda atrapado!

BIFF!
ZOWEE!
ZOT!
SOCKO!
BLAT!
BLAMMO!
KERRPOW!
AM!

¡NO ENTRAR!
¡SESIÓN DE VENGANZA EN MARCHA!

¡La vetusta cámara de las revanchas!

La próxima vez no seré tan clemente.

Y ahora, piérdete.

¡PRO-PROMETO CONDUCIR MEJOR Y NO VOLVER A LLEVAR JA-JAMÁS LA GORRA CON LA VISERA HACIA A-ATRÁS!

Ah, creo que la policía quiere hablar contigo sobre el coche.

En virtud del artículo 47. c.9 del reglamento municipal, le multo por el hedor extremo de su vehículo...

...son 923 dólares.

Si te metes con quien no debes, acabas escaldado.

Otro plato que se sirve en frío:

¡LA GELATINA!

Un catering genial, Fluffy. Aunque no hay nada más delicioso que la dulce venganza, ¿eh?

Miau miau miau Miauuu miau miau.

Sí, lo sé. A veces la venganza no basta.

¿Alguna vez encontrará la paz de verdad Fluffy? ¿O está condenada a vivir atrapada en ese cartón?

¿ALGUNA VEZ VOLVERÁ A SABOREAR LA GELATINA? Atentos al capítulo IV, donde escucharéis a Emily decir...

Oh, déjame en paz.

PÓSTER PLEGABLE DE
Emily Strange

¿QUÉ SINIESTRO
PODER TIENE
TODAS LAS
RESPUESTAS?

A ▶

¡DÓBLALO ASÍ!

◀ B

DOBLA LA PÁGINA PARA
QUE EL PUNTO "A" SE
ENCUENTRE CON EL "B"

MIRÍADAS DE GATOS DE LA PEÑA DE EMILY
HAN SALIDO EN BUSCA DE ALGO SOLO PARA PERDERSE...
PERO ¿QUÉ CLASE DE MONSTRUO EXTRAÑO CONTROLA
TODOS LOS MOVIMIENTOS DE EMILY?

A ▶

◀ B

¡La soledad me rompe el corazón!

GATA SOLITARIA Y MININA

EL CAMINO DE LO MÁS EXTRAÑO

EMILY ODDOMO, MÁS CONOCIDA COMO GATA SOLITARIA, RECORRE EN SU VIDA SOLITARIO SENDERO DEL RONIN, SU ÚNICA COMPAÑÍA ES SU JOVEN PROTEGI... MYSTERY-SAN. SIN EMBARGO, CUANDO LA SAMURÁI RENEGADA HACE UN ÚLTIM... ESFUERZO POR INTEGRARSE EN LA SOCIEDAD, SUS INTENTOS CHOCAN CONTR... UN MURO DE INCOMPRENSIÓN, Y UNA NUEVA BATALLA DA INICIO...

YA HA OÍDO LOS CARGOS D... LOS QUE SE LA ACUSA, EMI... ODDOMO-SAN. A PESAR D... QUE AFIRMA SERVIR AL SHOGUN, *LOS INSULTOS QUE LE HA DEDICADO* NOS INDICAN LO CONTRARIO.

CÓMO SE LE OCURRIÓ SUGERIR QUE LE TOCABA SERVIR...

¡PERO SI ESTÁBAMOS JUGANDO A BÁDMINTON! ERA SU SERVICIO, TENÍA QUE SACAR ÉL.

¿CÓMO SE ATREVE?

¡MANCILLA EL BUEN NOMBRE DEL SHOGUN!

PARA ESO SE BASTA Y SE SOBRA ÉL SOLITO.

¡JO, LUEGO OS *EXTRAÑARÁ* QUE YA NO QUIERA PASAR MÁS TIEMPO CON VOSOTROS!

ERRRRRR.

APROXIMÁNDOSE A LA ESTRELLA SOLITARIA
Ha sido demasiado fácil.
CRASH!
¡Por fin nos hemos quitado a esos Tontolabas de encima!
¡Cerciorémonos de que estamos solos!

La Extrañera Solitaria

EL VALLE DE LA MUERTE.
La última frontera de lo que una vez fue el Salvaje Oeste. Un lugar silencioso y desolado por naturaleza, poblado solo por las más solitarias de las criaturas.

Entre sus visitantes se halla una a la que llaman LA EXTRAÑERA SOLITARIA, a quien se la reconoce por su famoso grito de...

¿De dónde ha salido toda esta gente?

¡La Extrañera Solitaria! ¡Una jinete sin miedo que monta un brioso corcel! ¡La Extrañera Solitaria! Que solo deja una nube de polvo tras de...

¡CALLA!
¡Esta es mi historia!

FESTIVAL DE PRINCESA DEL POP DEL VALLE DE LA MUERTE

Y, ahora, ¿adónde vamos?

¡¡VAMOS, GATA, LA EXTRAÑERA SOLITARIA CABALGA DE NUEVO!!

MAPA DEL OESTE

Cañón Bryce
Convención de dentistas
Utah
California
Nevada
Gran cañón
Desfile de las ciudades del cañón
roca de las viudas juerga
Arizona
Valle de la muerte
festival de princesa del pop, pero ¿qué co...?

139

EL MININO MUERTO

CAPÍTULO CUATRO

¡SOLA por FIN!

Uf. ¡Me he pasado una SEMANA entera ayudándoos a vengaros del asesino de Fluffy!

GATO GATO GATO GATO GATO

Lo que daría por estar un ratito a solas...

Ahora programémoslo en...
¡SOLEDAD EXTREMA!

SOLEDENIZADOR

Pero ¿qué...?
¡Se suponía que estaba
SOLA!

Grrrr... Otra vez al tablón a revisarlo todo. ¿Qué habrá salido mal esta vez?

YA lo veo...
Voy a necesitar un poco de Esencia de Soledad.

Hum, tal y como sospechaba. ¡NINGUNO de vosotros sabe de verdad qué es estar solo!

Salvo... la Fluffy de cartón. ¡Casi seguro que no hay nadie como tú en todo el universo conocido!

Eso es... El maullido silencioso... ¡el gemido más solitario del mundo!

¡MIIIAAAU!

No te preocupes, Fluffy. Ya sé que la soledad no es para todo el mundo. ¡Yo me ocupo de que tengas muchos amiguitos!

¡Oh, sí! ¡Permíteme que te extraiga un poco de esa Soledad, Fluffy! ¡Es ORO puro!

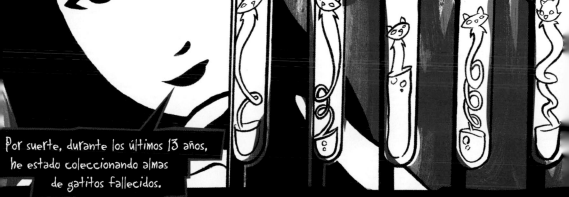

Por suerte, durante los últimos 13 años, he estado coleccionando almas de gatitos fallecidos.

PERO 13 MINUTOS DESPUÉS...

No tengo a nadie a quien contarle mis problemas...

¡Miaaaaaau!

¡EL MAULLIDO NO TAN SILENCIOSO!

¿Miles? ¿Neechee?
¿Mystery? ¿Sabbath?

¿Sois vosotros?

¡La soledad te rompe el corazón!

Pero la PEÑA nunca me dejará sola.

¡Jo, no ha aguan-
tado ni una hora!

ARTISTA FLIPADO 8 Fawn Gehweiler

GET LOST

EMPTY NIGHTS

THE EMILYS

MyStrangeCat.com

¡ilustraciones y fotografías de los fans de Emil

THE EMILYS
EMPTY NIGHTS

Emily
the Strange